AUX PARENTS

Lisez tout haut avec votre enfant

Des recherches ont révélé que la lecture à voix haute est le meilleur soutien que les parents puissent apporter à l'enfant qui apprend à lire.

- Lisez avec dynamisme. Plus vous êtes enthousiaste, plus votre enfant aimera le livre.
- Lisez en suivant avec votre doigt sous la ligne, pour montrer que c'est le texte qui raconte l'histoire.
- Donnez à l'enfant tout le temps voulu pour examiner de près les illustrations; encouragez-le à remarquer des détails dans les illustrations.
- Invitez votre enfant à dire avec vous les phrases qui se répètent dans le texte.
- Établissez un lien entre des événements du livre et des événements semblables de la vie quotidienne.
- Si votre enfant pose une question, interrompez votre lecture et répondez-lui. Le livre peut être une façon d'en savoir davantage sur ce que pense votre enfant.

Écoutez votre enfant lire tout haut

Pour que votre enfant poursuive ses efforts dans l'apprentissage de la lecture, il est indispensable de lui montrer que vous le soutenez, en lui accordant votre attention et vos encouragements.

- Si votre enfant apprend à lire et demande comment se prononce un mot, répondez-lui immédiatement pour ne pas interrompre le fil de l'histoire. NE DEMANDEZ PAS à votre enfant de répéter le mot après vous.
- Par ailleurs, si votre enfant le répète de lui-même, ne l'empêchez pas de le faire.
- Si votre enfant lit à voix haute et remplace un mot par un autre, écoutez bien pour surveiller si le sens est le même. Par exemple, s'il dit «chemin» plutôt que «route», l'enfant a conservé la bonne signification. N'interrompez pas sa lecture pour le corriger.
- Si la substitution ne respecte pas le sens (par exemple, si l'enfant dit «noire» au lieu de «poire»), demandez à l'enfant de lire la phrase de nouveau parce que vous n'êtes pas sûr d'avoir bien compris ce qu'il a lu.
- L'important, c'est d'avoir autant de plaisir que l'enfant à le voir maîtriser de plus en plus le texte et, surtout, de l'encourager encore et encore. Vous êtes le premier professeur de votre enfant — et celui qui a le plus d'importance. Vos encouragements sont ce qui déterminera si l'enfant voudra prendre des risques et aller plus loin dans l'apprentissage de la lecture.

— Priscilla Lynch, Ph.D.

D0550604

Données de catalogage avant publication (Canada)

Tchin

Le lapin qui voulait de la neige

Traduction de : Rabbit's Wish for Snow.
ISBN 0-590-16697-2

1. Indiens d'Amérique - Amérique du Nord - Folklore -
Ouvrages pour la jeunesse.
2. Lapins - Folklore - Ouvrages pour la jeunesse.
I. Ewing, C.S. II. Duchesne, Lucie. III. Titre.

PZ24.1.T33La 1997 j398.24'529322'08997 C97-930761-9

ISBN 0-590-16697-2

Titre original : Rabbit's Wish for Snow

Édition publiée par Les éditions Scholastic, 123, Newkirk Road,
Richmond Hill (Ontario) L4C 3G5.

4321   Imprimé aux États-Unis   789/9

Le lapin qui voulait de la neige

▲▲▲▲▲▲▲▲

Légende amérindienne

Texte de Tchin
Illustrations de Carolyn Ewing
Texte français de Lucie Duchesne

Je peux lire! — Niveau 2

Les éditions Scholastic
123, Newkirk Road, Richmond Hill (Ontario) L4C 3G5

Il y a très longtemps,
les lapins n'étaient pas
comme aujourd'hui. Ils avaient
une longue queue touffue, des
pattes avant toutes droites et des
pattes arrière toutes droites.

L'hiver passe.

La neige a fondu.

Lapin joue dehors.

Il aperçoit de jeunes pousses,

très haut dans un arbre.

Il veut les manger.

Mais, tout comme

aujourd'hui, les lapins

n'étaient pas de bons grimpeurs.

Lapin veut aussi jouer
dans la neige. Mais il n'y a pas de neige.
Puis il se souvient
de ce que sa grand-maman lui a chanté.

Si tu désires quelque chose
très fort, ton souhait peut se réaliser.
Et Lapin se met à danser
et à chanter.

Je voudrais qu'il neige!
Oui, je voudrais qu'il neige.
Je voudrais que la neige tombe
et que je puisse jouer.
Oh oui! je voudrais qu'il neige.

Et comme par miracle,
quelques flocons de neige
tombent du ciel.

Lapin est tellement excité
qu'il danse encore plus vite
et qu'il chante
encore plus fort.

Oui, je voudrais qu'il neige.
Je voudrais que la neige tombe
et que je puisse jouer.
Oh oui! je voudrais qu'il neige.

Et il se met à neiger plus fort.
On dirait des plumes
qui tombent du ciel.

Il y a de la neige
presque jusqu'au sommet de l'arbre.
Et Lapin est capable
de manger les jeunes pousses.

Lapin est si heureux
de manger les pousses de l'arbre.
Maintenant, il peut se reposer.
Et il s'endort.

Le lendemain,
lorsque le soleil se lève,
Lapin regarde autour de lui.
Toute la neige a fondu.

Lapin veut retourner chez lui,
mais il est perché très haut
dans l'arbre.
Et, comme tu le sais,
les lapins ne sont pas
de bons grimpeurs.

Il s'accroche avec sa queue
et se penche.
Il regarde le sol
et se demande comment
il pourra bien descendre de l'arbre.
Puis il se penche encore plus
et il entend un gros «CRAC!»

Sa queue est cassée,
et Lapin dégringole.

Lorsque Lapin s'écrase sur le sol,
il atterrit sur la figure
et se fend la lèvre.
Il se brise les quatre pattes.

C'est pourquoi, maintenant,
les petits-enfants de Lapin ont tous
des queues très courtes.
Et tous les petits-enfants de Lapin
ont la lèvre fendue.
Et tous les petits-enfants de Lapin
ont les pattes pliées.

Et si tu regardes certains arbres,
tu apercevras peut-être des touffes
de poils de lapin.